Chers amis rongeurs,
bienvenue dans le monde de

Geronimo Stilton

L'Écho du rongeur
Rédaction

GERONIMO STILTON

TÉA STILTON

BENJAMIN STILTON

TRAQUENARD STILTON

PATTY SPRING

PANDORA WOZ

Texte de Geronimo Stilton.
*Basé sur une idée originale d'*Elisabetta Dami.
Couverture : idée de Matt Wolf, *réalisation de* Lorenzo Chiavini.
Illustrations intérieures : idée de Matt Wolf, *réalisation de* Lorenzo Chiavini *et* Michele Dall'Orso.
Maquette de Laura Zuccotti, Marina Bonanno *et* Béatrice Sciascia.
Traduction de Titi Plumederat.

www.geronimostilton.com

Pour l'édition originale :
© 2000 Edizioni Piemme S.p.A. – Corso Como, 15 – 20154 Milan, Italie
sous le titre *Il sorriso di Monna Topisa*
International rights © Atlantyca S.p.A. – Via Leopardi, 8
20123 Milan, Italie – www.atlantyca.com
contact : foreignrights@atlantyca.it
Pour l'édition française :
© 2003 Albin Michel Jeunesse – 22, rue Huyghens – 75014 Paris
www.albin-michel.fr
Loi 49 956 du 16 juillet 1949 sur les publications destinées à la jeunesse
Dépôt légal : premier semestre 2003
Numéro d'édition : 14980/26
ISBN 13 : 978 2 226 14041 8
Imprimé en France par Pollina s.a. en mars 2013 - L64272

Geronimo Stilton

LE SOURIRE DE MONA SOURISA

ALBIN MICHEL JEUNESSE

Je l'avoue, je ne suis pas une souris courageuse

En rentrant chez moi, ce soir-là, je compris vite que **QUELQUE CHOSE CLOCHAIT.**
Pourquoi ma porte était-elle entrouverte ?
Et pourquoi la lumière brillait-elle au premier étage ?
Sur la pointe des pattes, je trottinai le long du couloir obscur. En arrivant à la cuisine, j'avançai le museau avec précaution. Le réfrigérateur était ouvert…
Des voleurs s'étaient-ils introduits chez moi ?

Je frissonnai…

Je l'avoue, je ne suis pas une souris courageuse, et les films d'épouvante m'ont toujours glacé le sang !

Les films d'épouvante m'ont toujours glacé le sang !

Soudain, comme dans un film d'HORREUR, une **ombre** mobile se projeta sur le mur. J'entendis une sorte de gargouillement, comme si quelqu'un chantonnait la bouche pleine.
Que faire ? **Glissant** sur la pointe des pattes, je me dirigeai vers la porte pour aller appeler à l'aide. Mais c'est le moment que choisit le gredin pour foncer sur moi. Je me réfugiai derrière un rideau…

MES CROÛTES DU XVIIe SIÈCLE !

Une patte graisseuse écarta le rideau...
Je me retrouvai museau à museau avec mon cousin Traquenard.

– OuaiiiiS ! me brailla-t-il dans les oreilles. Alors, cousin, content de me revoir ?

J'avais eu une telle frayeur que j'en BÉGAYAIS.

– QUI... qui... qui... t'a permis d'entrer chez moi ?

– Oh, tu ne vas pas en faire un fromage. Je passais par là, j'ai vu une fenêtre ouverte et je me suis dit : tiens, et si je faisais une petite surprise à ce bon vieux Geronimo ?

– Tu parles d'une surprise !

J'ai failli avoir une crise cardiaque !

– Oh la la, quel rabat-joie... Enfin, ta tarte au maroilles est excellente, tu sais. Ça se mange sans faim ! chicota-t-il, en s'essuyant le museau à mon rideau de soie.

– **ARRÊTE !** m'écriai-je. C'est de la soie ancienne !

– Oh, ce n'est pas grave si c'est un vieux chiffon, ça fait aussi bien l'affaire. Je sais me contenter de peu, moi, ricana-t-il.

Et, avant que j'aie le temps de le retenir, il s'assit dans un fauteuil d'époque qui m'avait coûté une fortune.

– **NOOON !** criai-je.

Trop tard.

Traquenard roula à terre, renversant une vitrine où j'exposais ma collection de croûtes de fromage anciennes.

– Mon fauteuil ! Mes croûtes de fromage du XVIIe siècle ! hurlai-je en m'arrachant les moustaches de désespoir.

Il engloutit une énorme part de tarte au maroilles.

– Sais-tu quel bon vent m'amène ?

– Je ne veux pas le savoir ! criai-je. **HORS DE MA VUE !** Et, sois gentil, mange la bouche fermée !

Tss Tss Tss

– *Tss tss tss*, tu sais que tu es un peu rasoir ? Il n'y a que les détails qui comptent, pour toi. Tant pis, je vais quand même t'apprendre la grande nouvelle !

Il me fit un clin d'œil et se mit à chuchoter, comme un comploteur :

– J'ai une information incroyable pour ton truc, là, ton imprimerie.

– Tu veux dire ma maison d'édition ! LE GROUPE ÉDITORIAL STILTON !

Il baissa encore la voix :

– Voilà, c'est ça : as-tu envie de publier une nouvelle sensationnelle dans ton journal *l'Écho du rongeur ?* Un scoop qui laissera toutes les souris abasourdies, moustaches DRESSÉES et étourdies. Tout ce que je peux te dire, c'est que ça concerne le tableau le plus célèbre de Sourisia :

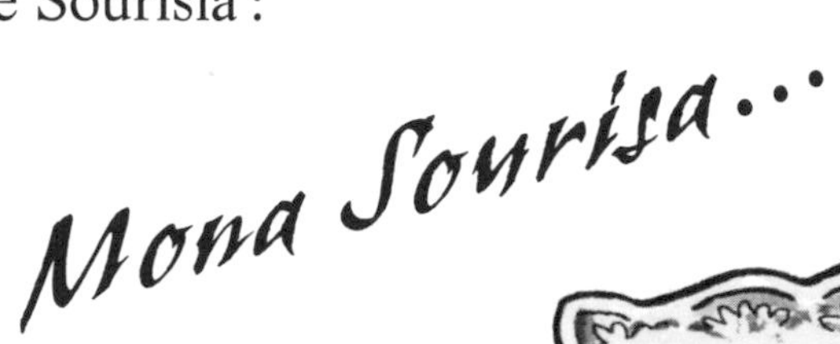

Je m'appelle Stilton, Geronimo Stilton

Il ne me fallut pas longtemps pour comprendre que cette histoire de Mona Sourisa, dite *la Ratonde,* était exceptionnelle, une *histoire au poil.*
Et moi, les histoires, ça me connaît : je suis directeur d'un journal, *l'Écho du rongeur !*
Au fait, je ne me suis pas présenté : je m'appelle Stilton, *Geronimo Stilton.*
Le lendemain matin, j'avais rendez-vous au journal à huit heures précises avec mon cousin.
Traquenard entra dans mon bureau sans frapper (comme d'habitude), posa les pattes sur mes papiers (comme d'habitude) et chicota la bouche pleine (comme d'habitude) :
– J'ai une affaire en or à te proposer !

Je remarquai que (comme d'habitude) il était en train de **grignoter** : j'en eus un haut-le-cœur. Cette fois, c'était un sandwich à cinq étages : *camembert/roquefort/munster/raclette/crottin de Chavignol,* le tout saupoudré de gruyère râpé.

Il bredouilla :

– Bon, on tire cette affaire de *la Ratonde* au clair et on partage moitié-moitié : 70 pour cent pour moi et 30 pour cent pour toi !

– C'est ce que tu appelles moitié-moitié ? rétorquai-je, indigné.

Mon cousin beugla :

– Qu'est-ce que tu peux aimer l'argent, toi ! Bon, d'accord, ma bonté me perdra, 60 pour cent pour moi et 40 pour cent pour toi !

À ce moment, on entendit le rugissement d'une moto : quelques secondes après, la porte s'ouvrait, livrant passage à ma sœur Téa, envoyée spéciale de *l'Écho du rongeur.*

Téa couina, avec son petit air futé :

– Je vais vous le dire, moi, comment on va partager : 33,3 pour cent chacun ! Parce que j'ai

une information exclusive sur Mona Sourisa.
Traquenard essaya de négocier :
– MOUAIS, d'accord pour 33,3 pour cent, mais je conserve les droits d'adaptation télévisuelle, et…
Ma sœur sourit gentiment, en secouant la tête. Puis elle murmura d'une *voix flûtée* :
– Inutile de jouer au plus malin avec moi, mon petit cousin.
Traquenard soupira :
– Soit. On ne me refera pas. Je suis un prince, un vrai *gentilsouris !* Topez là, cousins…
C'est alors qu'une nouvelle voix s'exclama :
– **JE VIENS AVEC VOUS !**
Benjamin, mon neveu de neuf ans, me tirait par la manche de la veste.
– Trop tard, mon poussin ! On ne partage plus avec personne ! répondit Traquenard du tac au tac.
Benjamin, outré, le regarda.

– L'argent ne m'intéresse pas. Gardez tout. Mais je t'en supplie, oncle Geronimo, laisse-moi venir avec toi, j'ai envie d'être avec toi !
J'étais très ému.
– D'accord, ma petite lichette de gruyère, je t'emmène. *Promis, juré !* susurrai-je en caressant tendrement ses petites oreilles.
Benjamin est mon neveu préféré !

La Taverne de la Croupière

Mon cousin murmura :

– Vous vous souvenez de mon copain, celui avec qui je faisais des parties de flipper ? Mais si, celui qui a une balafre sur la queue, un bandeau noir sur l'œil, qui boite et qui a un orteil de la patte droite en moins ? Gobichon Gobetout, dit la Griffade. Toi, Geronimo, tu l'as déjà vu. Peut-être que tu ne te rappelles pas !

– Non, répliquai-je, si tu m'avais présenté un tel coquin, je ne l'aurais sûrement pas oublié !

Traquenard poursuivit :

– Dimanche dernier, je jouais donc au flipper à la *Taverne de la Croupière*. Tu y es déjà allé, Geronimo ?

– Je ne fréquente pas ce genre d'endroit !

La Taverne de la Croupière *est un endroit génial…*

– Tu ne sais pas ce que tu perds. C'est un endroit génial, il s'y passe toujours quelque chose. Tiens, pas plus tard qu'hier soir, un prof de karaté et un champion de billard en sont venus aux pattes : une bagarre du tonnerre, crois-moi ! Le prof de karaté était **TRÈS FORT**, mais l'autre lui a asséné des coups de queue de billard sur l'arrière-train, si bien que…

– Tu peux en venir au fait ? dit Téa qui s'impatientait.

– Je suis donc tombé sur Gobichon. Et savez-vous ce qu'il m'a révélé ? Un secret… murmura-t-il. La sœur du cousin du voisin du beau-frère de son concierge a appris d'un gardien du musée qu'ils auraient envoyé Mona Sourisa dans un laboratoire pour la soumettre à un examen aux **RAYONS X**. Et pourquoi cela, à votre avis ? Parce qu'il y aurait quelque chose dessous, quelque chose d'incroyable…

UN NOUVEAU FIANCÉ POUR TÉA

C'était au tour de Téa.
Elle se *lissa* le poil et commença son récit :
– Vous vous souvenez de mon dernier fiancé ? Cette souris aux **yeux bleus** et au pelage blond, qui parlait *pointu*...
– Qui donc ? demandai-je. Celui qui vit dans un château, qui prétend descendre des...
– Mais non, mais non, mais non, a coupé ma sœur. Celui-là, je l'ai plaqué depuis longtemps.
– Alors tu parles de l'autre, celui qui dirige une usine de fromages en portions...
– Mais non, mais non, ça, c'est de la préhistoire, de la paléontologie ! Celui des fromages en portions, je l'ai largué il y a plus de six mois !

Téa s'impatientait.

– Bref, mon dernier fiancé s'appelle Frick Tapioca : il est expert en tableaux auprès du musée. Il m'a dévoilé un secret. À l'occasion d'une restauration de Mona Sourisa, il a découvert que le tableau cachait une autre toile. Il est en train de l'examiner aux **RAYONS X !**

Il fallait t'arrêter au rouge !

Nous prîmes place à bord de la **décapotable** jaune de Téa. Neuf minutes plus tard, la voiture s'arrêtait devant le musée dans un grand crissement de pneus.

– Neuf minutes entre le journal et le musée ! exultait Téa. J'ai battu mon record, couina-t-elle en remettant à zéro le chronomètre de sa montre.

– Je vais faire une crise cardiaque, je le sens ! dis-je en gémissant. Encore un trajet à cette allure et je suis un rat mort ! Il fallait t'arrêter au **ROUGE**, c'est obligatoire. Le camion est passé si près de nous que j'ai cru qu'il allait m'emporter la queue !

Traquenard la congratula.
– Pas mal, pas mal, souricette. Bon, d'accord, j'aurais fait mieux. Je parie que je n'aurais pas mis plus de huit minutes trente !
Téa remit la clef sur le contact.
– Chiche ! On y retourne !
– **LAISSEZ-MOI DESCENDRE** ! criai-je.
Tremblant sur mes pattes, j'ouvris la portière.
– **Ce qui est sûr, c'est que je ne monterai plus jamais avec vous**, marmonnai-je. *Je tiens à mon pelage, moi !*

Si Mona Sourisa pouvait parler

Le musée était IMMENSE.
Au rez-de-chaussée étaient exposés des sarcophages, des MOMIES, des tessons d'amphore.

Au premier étage, la collection de peinture ancienne, de l'*an mille à 1700*. Au deuxième étage, la nouvelle galerie d'art moderne. Enfin, au troisième étage, les bureaux et les laboratoires du musée. Nous gravîmes l'escalier de marbre jusqu'au premier étage.

Je racontais à Benjamin l'histoire de Mona Sourisa :

Le musée était immense…

– Ce tableau a été peint en 1504 par un peintre et savant génial, Ratonard de Minci. Le sourire de Mona Sourisa est aussi doux que mystérieux, comme si elle connaissait un secret qu'il nous reste à découvrir !

Benjamin soupira.

– Savoir ce que dirait Mona Sourisa si elle pouvait parler !... Peut-être sourit-elle parce qu'elle sait qu'elle cache un autre tableau...

Nous montâmes au deuxième étage : la galerie d'art moderne était toute d'acier, de chrome et de verre.

– Ah ça ! l'art moderne, ça change des vieilleries dont tu raffoles, murmura ma sœur avec un clin d'œil à mon intention.

Vexé, je fis la sourde oreille.
C'est alors qu'apparut une souris vêtue de noir, avec l'air d'un intellectuel et portant de petites lunettes rondes perchées sur la pointe du museau : c'était le célèbre critique d'art Chromatique Chrome. Il me fut aussitôt antipathique.
– CHÈÈÈRE AMIIIE ! s'exclama-t-il, en se précipitant sur Téa.
– CHEEER AMIII ! s'exclama-t-elle en réponse.
Et ils se mirent à jacasser.
– Ouh, chêêêr âââmîîî, imita Traquenard en lapant bruyamment un triple cornet de glace au roquefort saupoudrée de pépites d'emmental. Nous

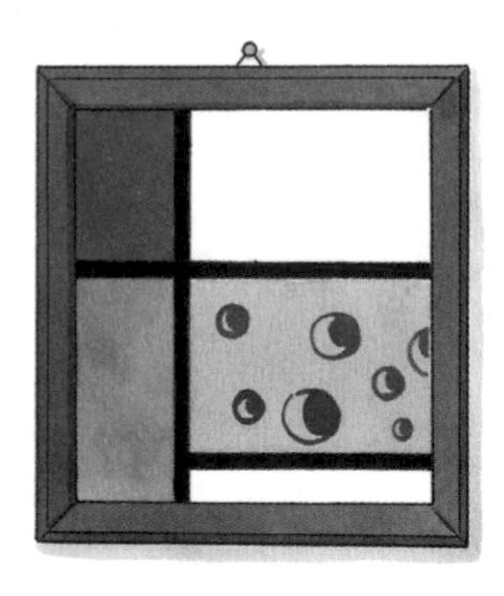

ne sommes pas ici pour faire des ronds de jambe, mais pour travailler, marmonna-t-il, la bouche pleine, en se léchant les moustaches.
Nous nous dirigions vers le laboratoire du musée, lorsqu'une souris d'allure *timide* mais **sympathique** vint à notre rencontre. C'était Frick Tapioca, le fiancé de ma sœur.
– Téa, balbutia-t-il avec un grand sourire. Quelle surprise !
– Où en sont les recherches dont tu me parlais l'autre soir ? lança ma sœur, sans préambule.
Le malheureux **rougit**.
– Ce sont des informations très secrètes !
– Mais tu n'as pas de secret pour moi, mon chou, n'est-ce pas ? murmura-t-elle, en lui tirant les moustaches pour plaisanter.
Il devint écarlate d'émotion.

Frick Tapioca

– Que veux-tu savoir ?

– Tout ! **Et tout de suite !** répondit ma sœur.

– *Eh bien...* murmura son fiancé. Mais, *excuse-moi*, qui sont ces gens ?

– Ce sont des parents à moi, ne t'inquiète pas, ma puce.

– ***Mais, euh,*** il faut qu'ils écoutent, eux aussi ? protesta-t-il pour la forme.

– Mais puisque je te dis que ce sont des parents à moi ! *Allez, raconte !*

Il baissa la voix.

– Eh bien, la semaine dernière, j'ai entrepris la restauration de Mona Sourisa. J'ai prélevé un échantillon de couleur et je me suis aperçu que, sous le portrait, se cache une autre peinture ! Je l'ai examinée aux **RAYONS X**, puis j'ai reconstitué à l'ordinateur les onze détails que le peintre Ratonard de Minci a dissimulés sous Mona Sourisa.

Frick ricana et sortit un cédérom de la poche de sa blouse blanche.

– Tout est là !

D'un geste vif, Téa le lui chipa.

– C'est gentil de me le prêter, ma puce. Je te le rendrai la prochaine fois qu'on se verra !

– Ah bon, on va se revoir ? Vraiment ? Quand ça ? **Euh**, je peux t'inviter à dîner ce soir, si tu veux...

Téa pinça la joue de Frick.

– Ce soir ? Demain ? Non, impossible, mais la semaine prochaine, peut-être !

À ce moment passa le directeur du musée, Grunzy de Pintor, une souris haute et maigre, à l'air distingué, portant un nœud papillon bleu et un gilet rouge avec une chaîne de montre en or.
De Pintor fit le baisemain à ma sœur.
– *Mes hommages, mademoiselle Stilton ! Que nous vaut l'honneur de votre visite ?* demanda-t-il.
– Bonjour, bonjour, quel plaisir de vous revoir, monsieur le directeur, excusez-moi, je suis **pressée**, au revoir, cria ma sœur en courant vers sa *décapotable*.
Le moteur rugit.
– En voiture tout le monde !
Les autres montèrent dans la voiture de Téa, qui démarra en trombe ; je préférai le taxi.
Je tiens à mon pelage, moi !

LE POUDRIER DE TÉA

Nous nous barricadâmes dans mon bureau.

– On a du travail pour toute la **nuit**, grommela mon cousin d'un ton **lugubre**. Je vais faire monter un petit casse-croûte.

Il commanda au bar (en demandant qu'on m'envoie la facture) une HYPERPIZZA (c'est-à-dire une pizza d'un mètre de diamètre).

– Pendant que vous y êtes, faites-en une d'**un mètre cinquante**... JE ME SENS EN APPÉTIT ! l'entendis-je brailler au téléphone.

Nous nous mîmes au travail.

– Tonton, laisse-moi faire ! dit Benjamin.

Il s'installa devant l'ordinateur, l'alluma et glissa

le cédérom dans le lecteur. Sur l'écran se matérialisa la photo aux **RAYONS X** que Frick avait coloriée à l'ordinateur.

– Je vais l'agrandir, dit Benjamin.

Onze mystérieux détails nous apparurent alors : une statue, une fontaine, une couronne et d'autres éléments que nous ne pûmes pas identifier. En bas à droite, à la place de la signature, il y avait une inscription invisible à l'œil nu. Nous l'agrandîmes :

ONZE LIEUX TU DOIS CHERCHER
ONZE LETTRES DOIS TROUVER
UN MOT IL TE FAUT FORMER
SI MYSTÈRE VEUX DÉVOILER

– Qu'est-ce que ça peut bien vouloir dire ? demandai-je, perplexe.
L'inscription paraissait intraduisible, ça ne ressemblait à aucune langue connue. C'est Téa qui comprit la première !
Elle ouvrit son sac à patte, y prit le petit miroir de son poudrier et le posa devant l'inscription.
Alors, comme par magie, tout devint très clair et nous pûmes enfin lire :

ONZE LIEUX TU DOIS CHERCHER
ONZE LETTRES DOIS TROUVER
UN MOT IL TE FAUT FORMER
SI MYSTÈRE VEUX DÉVOILER

Pendant ce temps, Traquenard se goinfrait d'HYPERPIZZA, en regardant des dessins animés à la télévision.
Téa PROTESTA :
– Tu pourrais nous aider ! On n'avait pas dit qu'on partagerait à égalité ?
Traquenard ricana.
– Oh, je ne **veux pas voler** le boulot des intellectuels… Moi, c'est demain que je serai utile !
Nous travaillâmes pendant des heures, nous consultâmes d'anciennes cartes, de vieux volumes sur l'histoire de Sourisia, des catalogues de musées.
Enfin, nous fûmes en mesure d'identifier onze monuments…

Chapiteau du Cormoran
(au marché aux poissons)

Queutomètre
(au tribunal)

Sceau de Tessourius
(au *Contrôle de qualité fromagère*)

Coupe du Rat d’Argent (au musée)

Fontaine de fondue
(au *Contrôle de qualité fromagère*)

Rocher du chat
(au parc d’attractions)

Plafond à voûtes
(dans les caves du magasin
Au Rat farceur)

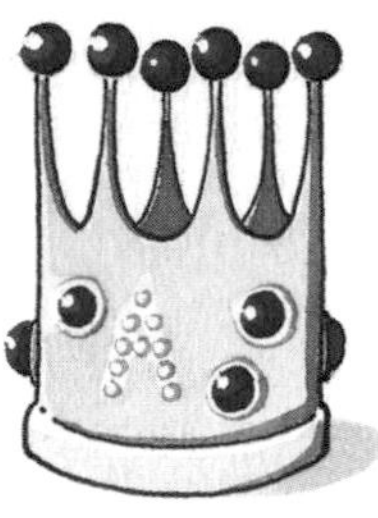

Couronne de la princesse
Angorette Frisounette VII
(à la *Rat Bank*)

Statue de
Médard Caliban
(à l'école primaire)

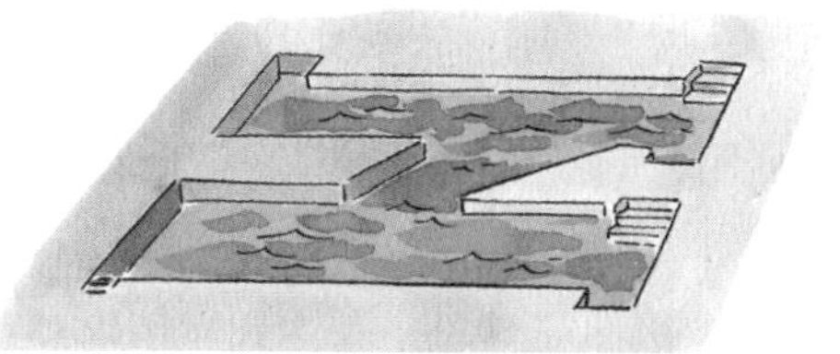

Bassins des thermes antiques
(au gymnase *Rat Gym*)

Cadran solaire
(à la *Taverne*
de la Croupière)

ONZE LIEUX TU DOIS CHERCHER
ONZE LETTRES DOIS TROUVER
UN MOT IL TE FAUT FORMER
SI MYSTÈRE VEUX DÉVOILER

Le chapiteau du Cormoran

Le lendemain matin, grande réunion au journal.

– Comment examiner les onze monuments ? Il va falloir faire le tour de la ville en un temps record !

Traquenard ricana.

– Hé hé hé ! À moi de jouer. J'ai des copains partout, moi. Le queutomètre, au tribunal ? Allez-y de ma part ! La fontaine de fondue ? Demandez à Frometon Patoche, c'est un vieil ami à moi ! Le marché aux poissons ? Là-bas, tout le monde me connaît comme pêcheur de requins ! Allez voir Marinade Bouchot, au stand des poulpes : dites-lui que c'est moi qui vous envoie !

Téa et moi descendîmes la ruelle pavée qui mène au marché.

Cris, hurlements, éclats de voix : plus nous approchions, plus le **VACARME** augmentait. Quel spectacle !

À gauche, des dizaines d'étalages exposaient d'énormes thons qui **brillaient au soleil**. Plus loin, des loups de mer, des rougets, des turbots. Au milieu de la place, des montagnes de poulpes et de seiches. À droite, des caisses de crabes et d'araignées de mer. Plus loin encore, des coques et des oursins, et, allongées sur un **LIT DE GLACE PILÉE**, des huîtres et des praires.

– Il est frais, le poisson, tout frais, tout vif !

Quelques poissonniers rafraîchissaient la marchandise en l'aspergeant de grands seaux d'eau de mer.

Soudain...

SPLASH !... Je reçus le contenu d'un seau en pleine figure.

– Scouiiic ! hurlai-je en faisant un BOND en arrière. Trop tard ! Mon costume était fichu.

Téa me regarda avec pitié.

– **Tu devrais faire plus attention...**

J'allais lui répondre, quand ma patte glissa sur une arête de morue et que je m'étalai de tout mon **long**, écrasé sous un énorme thon.

– Il n'est pas beau, mon thon ? Je vous l'emballe ? demandait le poissonnier.

– NON, GARDEZ-LE, VOTRE THON ! m'écriai-je, en me relevant sous les moqueries de la foule.

Téa murmura :

– Il fallait vraiment que tu te fasses remarquer ? Regarde où tu mets les pattes !

Je n'avais pas fait deux pas au centre de la place qu'un tentacule visqueux s'enroulait autour de mon cou.

– GLOUB... GLOUBB... GLOUBBB... gargouillai-je.

QUEL CHARMEUR, CE RONGEUR !

– Bas les pattes ! Où allez-vous comme ça avec mon poulpe ? me lança une poissonnière d'un air **féroce**.

Téa arbora son plus beau sourire.

– Vous êtes bien Marinade Bouchot ? Ne vous inquiétez pas pour lui, c'est mon frère. Franchement, Geronimo, tu ne peux pas essayer d'être moins maladroit ?

J'allais exprimer mon point de vue sur les poissons en général et les poulpes en particulier, mais Téa m'envoya un grand coup de coude et poursuivit :

– Je viens de la part de Traquenard !

À ce nom, la poissonnière s'attendrit.

– Vous ne pouviez pas le dire plus tôt ?

Bas les pattes ! Où allez-vous comme ça avec mon poulpe ?

Traquenard ! Quel charmeur, ce rongeur ! Unique ! Ça, lui, il savait y faire !
Je me souvins que Traquenard racontait avoir été à la pêche aux requins, et je murmurai :
– ***Eh oui, il savait y faire avec les requins...***
Elle me regarda d'un air méfiant.
– Qu'est-ce que tu me chantes là ? Des requins ? Des harengs, plutôt ! Il ne sait même pas faire la différence entre un *requin* et un *hareng* ? s'exclama-t-elle dans un éclat de rire.
La poissonnière poursuivit, rêveuse :
– Il fallait le voir nettoyer les harengs ! Il a pulvérisé le record du marché aux poissons : *cinquante-trois harengs à la minute !*

Les yeux brillants d'émotion, elle fouilla dans la poche de son tablier et en sortit une photo toute **poisseuse**.
Derrière une montagne de harengs, mon cousin brandissait une coupe : *Premier Challenge du marché aux poissons.*
Téa en profita pour demander, d'un air dégagé :
– Traquenard nous a parlé du chapiteau du Cormoran. Pourrions-nous le voir ?
Marinade nous fit signe de la suivre. Dans l'angle nord du marché se dressait une colonne avec un chapiteau en relief : le sculpteur avait représenté des cormorans tenant un poisson dans leur bec. Sur la queue d'un des poissons, une fine rainure dessinait un **Y** !

– C'est curieux ! Déjà, à six heures ce matin, une petite vieille voulait à tout prix examiner la colonne ! **ricana** Marinade.

– Pourriez-vous me la décrire ? demanda Téa en prenant des notes.

Marinade fouilla dans sa mémoire.

– Elle portait un foulard noir à pois rouges et tenait un panier de pommes. J'ai échangé un poulpe contre un de ses fruits ! conclut-elle, en mordant dans une pomme rouge bien cirée.

Puis elle SECOUA la photo.
– Dites à Traquenard que je l'attends, que je pense tout le temps à lui, sniff !
De retour au bureau, Téa se précipita sur ses crayons et ses pinceaux, et, en un éclair, fit un portrait en couleurs de la petite vieille.

– Une petite vieille ? Comme c'est bizarre !

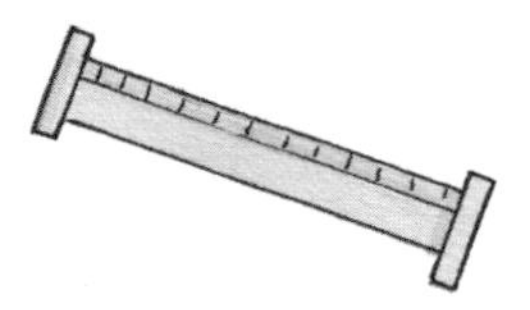

LE QUEUTOMÈTRE

Deuxième indice : le ***queutomètre***.

– Le queutomètre se trouve au tribunal, n'est-ce pas ? Demandez mon ami Fusain Réglisse. Dites que vous venez de ma part ! nous avait conseillé Traquenard.

Téa se chargea de cet indice. Voici le fax qu'elle m'envoya :

Très urgent - FAX
Pour : GROUPE ÉDITORIAL STILTON
À l'attention de : GERONIMO STILTON

Fusain Réglisse est un lascar visqueux qui a commencé par essayer de me soutirer une petite fortune en échange de l'information. Quand j'ai nommé Traquenard, il a promis de m'aider gratis...

parce que notre cousin lui avait
rendu un service et que, comme ça, il
ne lui devrait plus rien! Il m'a accom-
pagnée aux archives du tribunal, où
l'on conserve le queutomètre, l'unité
de mesure utilisée en l'an mil.
Aucune lettre n'est gravée sur le
queutomètre, mais j'ai tout de suite vu
qu'il était lui-même en forme de I !

À demain,

TÉA

P.-S. Hier, une veuve portant une voilette a demandé à faire une photo du
queutomètre.

LA COUPE DU RAT D'ARGENT

Troisième indice : la coupe du Rat d'Argent. Téa et moi allâmes la chercher au musée : la vitrine était vide. À la place, il y avait ce billet :

Coupe d'argent ciselé
An mil environ
Prêtée au cinéaste Von Rattoffen

Nous retournâmes au bureau.
Mon cousin était vautré dans mon fauteuil et ne daigna pas même nous saluer.
Il engloutissait d'**énormes** cuillerées de potage bouillant.

– Mais que fais-tu ? lui demandai-je, dégoûté. Tu manges de la soupe à cette heure-là ?

– J'ai le droit de prendre un petit déjeuner, non ? répondit-il, en trempant un petit-beurre dans sa soupe.

Exaspéré, je lui demandai d'aller manger ailleurs :

– **Tu mets plein de miettes sur mon bureau !**

Il se leva en maugréant, mais il se prit les pattes dans le tapis et renversa son **BOL** de potage bouillant sur mon bureau.

– **MES PAPIERS ! MON AGENDA !** criai-je, en me mordant la queue de rage.

Mais mon attention fut détournée de cette catastrophe par Téa qui venait de faire son entrée et qui demanda à Traquenard :

– Connaîtrais-tu quelqu'un qui travaille avec *Von Rattoffen* ?

Traquenard gloussa.
– Si je connais *Von Rattoffen* ? Et comment ! Mais, si vous voulez un conseil, ne lui dites pas que vous venez de ma part. Et même, s'il découvre que vous êtes de ma famille, niez tout en bloc, quoi qu'il arrive !
Nous nous précipitâmes aux studios de cinéma. Sur le plateau, acteurs et figurants s'affairaient en tous sens, tandis que le metteur en scène *Von Rattoffen* couinait des ordres dans son mégaphone.
– Quelle est la tête de reblochon qui a mis la machine à **NEIGE** en marche ? Vous n'êtes pas au courant que le film se passe dans le désert, dans le dé-sert ? Envoyez le miaulement enregistré ! Quoi ? Vous appelez ça un miaulement ? On dirait un couinement de rat mort ! Vous voulez saboter mon film ?
Téa me donna un coup de coude.
– Regarde ! La coupe est là !
Les murs du bureau de *Von Rattoffen* étaient

en verre, et nous y aperçûmes une souris costumée en gladiateur romain, qui examinait la coupe d'argent.

La souris sortit furtivement et se mêla aux figurants.

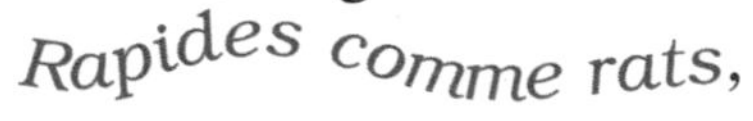

nous nous glissâmes à notre tour dans le bureau, mais le cinéaste entra juste derrière nous.

– **Bas** les pattes de cette coupe... Qui êtes-vous ? enquêta-t-il, méfiant.

Je répondis sans réfléchir :

– Je m'appelle Stilton, Geronimo Stilton, et voici ma sœur, Téa Stilton !

Elle me décocha un grand coup de patte dans les tibias, mais c'était trop tard !

Il resta songeur un moment.

– Stilton ? Stilton ?

Puis il changea brusquement d'expression.

– Seriez-vous parents avec un certain Traquenard ? Une souris courte sur pattes, trapue, au pelage noisette ?

– Oh, c'est un parent éloigné, très éloigné…

Il explosa.

– Voilà deux ans que je le recherche ! Il a fait sauter en l'air un gratte-ciel de vingt étages cinq minutes avant que je ne commence à tourner la scène ! Si je l'attrape, je le…

En moins de temps qu'il n'en faut pour le dire, ma sœur et moi nous ruâmes sur la porte.

Une fois dehors, Téa me pinça la queue en riant.

– J'ai eu le temps de jeter un coup d'œil à la coupe : cette fois, la lettre est un H !

LE SCEAU ET LA FONTAINE

Traquenard nous attendait à la rédaction, les pattes posées sur **(mon)** bureau. Il trempait des morceaux de sucre dans un pot de miel.

–**Que fais-tu ?** lui demandai-je, horrifié.

– Si tu savais comme c'est bon ! Tu veux goûter ?

– Non, merci bien ! répondis-je avec une grimace de dégoût. À propos, tu es très demandé dans le cinéma. Plus que demandé, recherché !

Il ricana.

– Ah oui, le détonateur, le gratte-ciel... Quel **Feu d'artifice** ! Si tu avais vu le museau du metteur en scène !

Puis il soupira.

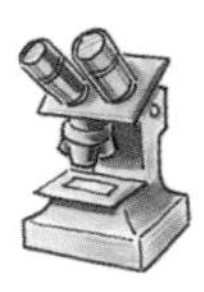

– Le quatrième et le cinquième indices se trouvent au centre de CONTRÔLE DE QUALITÉ FROMAGÈRE. Demandez de ma part Frometon Patoche !

Téa s'y rendit en voiture ; je préférai le tramway.

Je tiens à mon pelage, moi !

Nous nous retrouvâmes à l'institut où sont contrôlés tous les fromages de Sourisia. Chaque fromage y est examiné, *mesuré*, TIMBRÉ avant d'être commercialisé. C'est à l'institut que sont conservés l'ancien Sceau de Tessourius, légendaire inventeur du fromage, et la *fontaine de fondue*.

Une souris **grassouillette** en blouse blanche vint à notre rencontre : c'était Frometon Patoche.

– Soyez les ***bienvenus*** ! Je vais vous faire visiter le laboratoire !

Il nous conduisit dans un immense entrepôt où étaient empilés des fromages de toutes qualités, de toutes sortes et de toutes dimensions. Partout, des souris en blouse blanche s'affairaient à TIMBRER et à mesurer.

– Monsieur Frometon, nous sommes prêts à expédier un stock de reblochon fumé.

Frometon prit un air SOLENNEL.

– Du reblochon fumé, dites-vous ? Voyons voir... chicota-t-il en lisant le certificat de qualité.

Les mesures correspondent aux normes.

Puis, à l'aide d'un instrument en laiton, il mesura le diamètre des reblochons.

– Bien, les mesures correspondent aux normes. Vérifions l'affinage !

Il introduisit une longue baguette de bois dans un reblochon, puis la renifla d'un air expert.

– Affiné à cœur !

Enfin, il consulta une table des couleurs.

– Parfait, ces reblochons sont d'un beau jaune ambré, bien régulier.

Très professionnel, il signa la fiche et y appliqua un coup de **TAMPON**.

– Ah, je croule sous les responsabilités, murmura-t-il en se lissant la queue. À propos, que devient Traquenard ? Quand il était dégustateur ici, il travaillait sur un projet fascinant : il voulait inventer le fromage **SYNTHÉTIQUE** !

Téa jeta un coup d'œil à sa montre.

– Je suis navrée de vous interrompre, Frometon, mais nous sommes pressés. Serait-il possible d'examiner le sceau et la fontaine ?

Frometon nous conduisit au musée du Fromage.

Frometon Patoche

Dans une vitrine, sur un coussin de velours, reposait un sceau d'argent qui portait en relief la lettre T.

Puis il nous accompagna dans une cour intérieure où se dressait la fontaine : en son centre, la déesse de la Fortune supportait dans la patte droite une corne d'abondance d'où S'ÉCOULAIT du beaufort fondu.

Téa prit plusieurs photos.
– La lumière est parfaite ! conclut-elle, ravie.
Cependant, j'examinai la fontaine de plus près.
Je ne voyais aucune lettre !
C'est Benjamin qui me fit remarquer les guirlandes **décorant** le tour de la vasque.
– On dirait des **B**, à la queue leu leu !
Je sortis un carnet de notes de ma poche et inscrivis :

Demain, j'irai au parc d'attractions pour chercher la lettre suivante.
P.-S. Frometon nous a raconté qu'il avait remarqué un type qui rôdait hier matin, en drôle de pantalon à fleurs, et, l'après-midi, un autre avec un maillot rayé blanc et rouge.
Eux aussi s'intéressaient aux indices...

LE ROCHER DU CHAT

Sixième indice !

– Au parc d'ATTRACTIONS, demandez mon ami **Cervelas Queuetranchée**, dit GRAS-DOUBLE. C'est le propriétaire du **GRAND DIX** ! nous avait conseillé Traquenard.

Quand nous arrivâmes à la fête foraine, il était déjà six heures du soir.

Les lampes s'allumaient sur la colline, éclairant la grande roue panoramique, les manèges, les auto-tamponneuses. Benjamin était surexcité.

– Allez, tonton, on commence par un tour de manège ? Et tu m'achèteras du pop-corn ? S'il te plaît ! Et puis j'aimerais bien jouer au chamboule-tout pour gagner un poisson rouge !

L'ami de Traquenard était assis sur un tonneau de harengs et comptait ses sous en les empilant. Quand il nous vit, il nous proposa en grommelant :

– Un plein tarif et un demi-tarif ?

– Monsieur **Cervelas Queuetranchée** ? Je recherche une information. Je viens de la part de mon cousin Traquenard ! Il poussa un cri, et ses moustaches vibrèrent d'excitation :

– Ce bon vieux Trac ! Que devient ce vieux renard ?

Puis il m'asséna une vigoureuse tape sur l'épaule.
– Vous êtes vraiment cousins ? Tu ne lui ressembles pas du tout, tu es tout maigrichon !
– Monsieur **Cervelas**, euh, Traquenard m'a parlé d'un rocher en forme de chat, qui se trouverait dans l'enceinte du parc d'attractions...
– Pour sûr ! Mais vous ne voulez pas faire un tour gratuit de **GRAND DIX** ? C'est moi qui régale !
Et il nous poussa vers un chariot **rouge**. Je le remerciai :
– Merci, c'est très aimable, mais nous sommes pressés, ce sera pour une autre fois !
Benjamin me tirait par la veste.

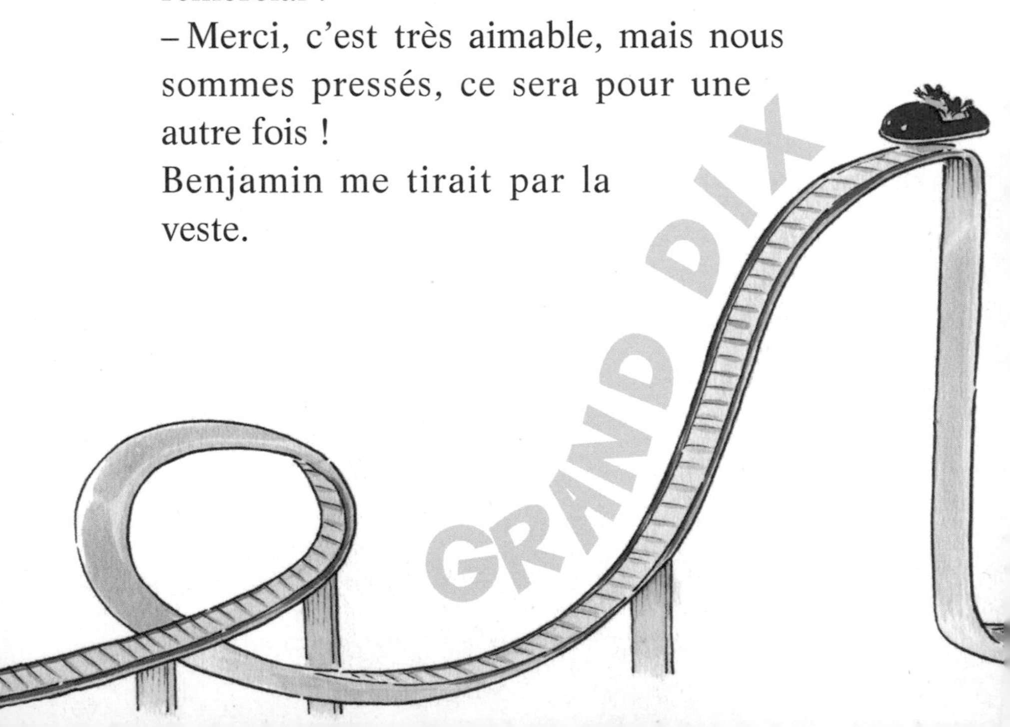

– Allez, tonton, s'il te plaît, rien qu'un tour !
Cervelas insistait :
– Vous n'allez tout de même pas priver ce petit ?
J'HésitaiS.
– Eh bien, oui, merci, vas-y, Benjamin, si tu veux !
Cervelas était scandalisé.
– Je rêve ! Vous le laissez tout seul ? Un si petit souriceau...
Puis il ouvrit la portière du chariot et me fit un croche-patte.
– Hop là ! En voiture, Arthur ! C'est confortable, non ?

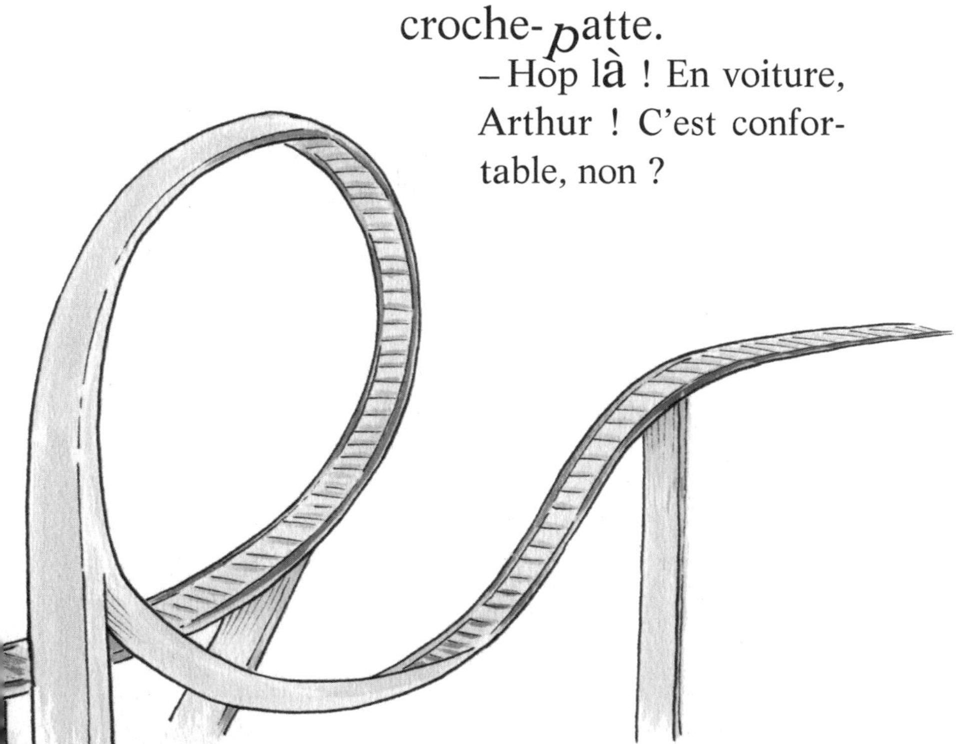

Attachez vos ceintures ! Attention au départ !
Et le chariot s'ébranla sur les rails du GRAND DIX, à l'assaut de la première montée.
Je fermai les yeux et m'agrippai à la barre de sécurité : j'avais tellement peur que mes pattes étaient **MOITES**.
– Tonton, regarde comme on est **HAUT** !
Pas question d'ouvrir les yeux ! Quelques secondes plus tard, nous nous élancions dans une folle descente sur les rails du GRAND DIX.
Désormais, nous ne nous arrêtions plus.
Anneau de la **MORT**, boucle croisée avec inclinaison à droite puis à gauche, tour complet la tête en bas. Je comprenais pourquoi ces montagnes russes ne s'appelaient ni le **GRAND HUIT** ni le **GRAND NEUF**, mais le **GRAND DIX** !
Je n'avais même plus la force de crier. Je restais muet, **TERRORISÉ**, tandis que Benjamin

poussait des hurlements de joie chaque fois que notre chariot changeait de direction.
Au bout de dix minutes, qui me parurent des heures, le chariot s'immobilisa.
Cervelas accourut.
– Alors, c'est pas génial ? Ça vous a plu ? Traquenard dit que, pour une bonne digestion, rien ne vaut un tour de GRAND DIX. Vous voulez recommencer ?
Je fis signe que **NON** en agitant la patte.
Puis je me laissai glisser hors du chariot et m'étendis sur un rocher près du manège.
Benjamin m'*éventait* le visage avec un journal.
– Tonton, pourquoi es-tu si pâle ?
Cervelas me tapotait le museau.
– Ah, l'émotion joue parfois de vilains tours !

J'essayai de reprendre mes esprits.
– Où est ce rocher ?
– **Tu es couché dessus, mon gars !**
Je me relevai avec peine : la tête me tournait.

Je me relevai avec peine : la tête me tournait.

À travers un brouillard, je distinguai que j'étais allongé sur un caillou en forme de chat : sur son flanc était gravé un **R**.
Comme en rêve, j'entendis Cervelas raconter à Benjamin que, la veille, une souris déguisée en clown s'était intéressée au **ROCHER DU CHAT** !

Au Rat farceur

Le lendemain matin, en arrivant au journal, je trouvai Traquenard, les pattes sur mon bureau, qui grignotait des pop-corn au fromage.

– Alors, comment ça s'est passé au Luna Park ? demanda-t-il. Cervelas m'a téléphoné. Il dit que tu manques un peu d'estomac. J'ai l'impression que tu ne m'as pas fait honneur !

– Laisse tomber ! répondis-je. Où dois-je aller, maintenant ?

– Hummm, le septième indice se trouve au magasin de farces et attrapes *Au Rat Farceur*, 11, rue Lesterat. Le propriétaire est un ami !

Cette fois, j'y allai seul. Je ne tardai pas à trouver l'enseigne *Au Rat farceur*, accrochée au-dessus de la vitrine du magasin.

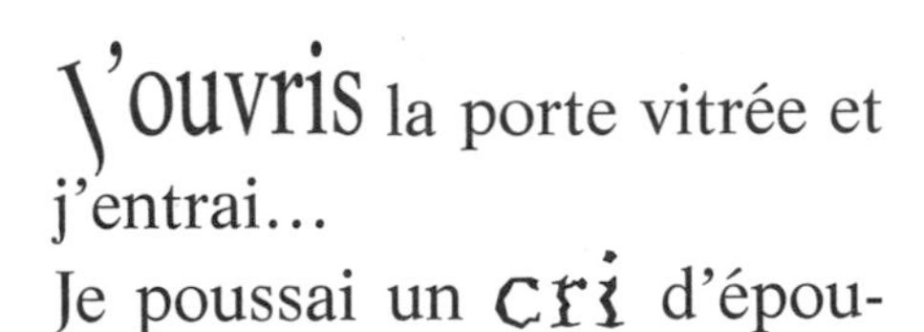

J'ouvris la porte vitrée et j'entrai…

Je poussai un cri d'épouvante : un énorme chat en peluche, suspendu à un élastique, bringuebalait au-dessus de la tête du client qui entrait.

Derrière la caisse, le propriétaire, **Batifol Beignet**, un rongeur **grassouillet** au pantalon rayé rouge et bleu, se tordait de rire.

– C'est pas mignon, cette blague-là ? Mais je vous en prie, prenez un siège, poursuivit-il en m'indiquant un tabouret surmonté d'un coussin rouge.

J'allais m'asseoir, mais mon derrière avait à peine effleuré le coussin que je **hurlai** : une tapette à souris cachée sous le tissu m'avait **pincé** la queue !

– Hi hi hi ! ricanait-il sous ses moustaches, vous allez bien ? Je vous trouve très pâle… Tenez, prenez donc un morceau de fromage !

Je mordis à belles dents dans ce qui ressemblait à un morceau de gruyère, mais qui était en fait du caoutchouc !

– Savez-vous que vous êtes exactement le genre de client dont je raffole ? Vous vous faites avoir à tous les coups ! chicotait Batifol, ravi, en essuyant ses larmes. En quoi puis-je vous être utile ? ajouta-t-il.

Vous trouverez de tout, ici : des griffes de félin en caoutchouc, des boules puantes, toutes les farces classiques, bien sûr, mais également des nouveautés exclusives, comme cette fourchette avec pétard intégré ; je ne vous raconte pas le feu d'artifice ! Et que dites-vous de cette meule de parmesan ? On s'y tromperait ! Et admirez la finesse de ces morceaux de sucre : quand ils fondent dans l'eau, ils libèrent un asticot en caoutchouc ! couina-t-il en agitant un ver sous mon nez.
Puis il poussa un cri en montrant du doigt le col de ma veste :
– Attention ! Vous avez un serpent à sonnette sur l'épaule !
Je sautai au plafond, et un serpent en plastique tomba à terre avec un bruit de crécelle.
– Vous avez entendu ? cria Batifol. Ça imite à la perfection le bruit du serpent à sonnette !
Puis il ricana :
– Ah, si seulement il y avait davantage de souris

dans votre genre. Mais, dites-moi la vérité, vous êtes comédien, c'est pour la caméra invisible, vous jouez au GROS NIGAUD ?

Tandis que le serpent s'entortillait par terre, je fis quelques pas dans la boutique, mais le tapis s'enroula d'un coup et m'enveloppa comme une momie. m'enveloppa comme une momie.

– asseeeeez ! criai-je. C'est Traquenard qui m'envoie, je cherche une information !

Il agita en l'air un os en caoutchouc.

– Vous ne pouviez pas le dire tout de suite ? C'est chez moi que Traquenard se fournit en farces et attrapes. Il a toujours des histoires incroyables à raconter sur un cousin à lui, un certain Geronimo Stilton, une souris qui...

– C'est moi ! chicotai-je entre mes dents. Je dois examiner le plafond de votre cave.

Le rongeur *ricana* :

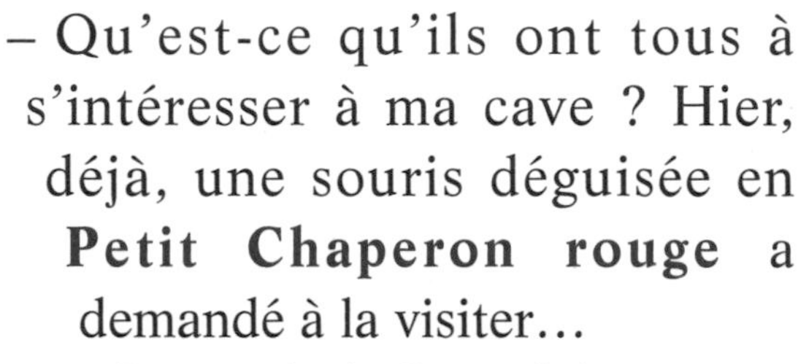

– Qu'est-ce qu'ils ont tous à s'intéresser à ma cave ? Hier, déjà, une souris déguisée en **Petit Chaperon rouge** a demandé à la visiter…

Je soupirai. Cette fois encore, on m'avait devancé !

Batifol poussa une porte qui s'ouvrit sur un escalier en colimaçon, sombre et étroit. Je descendis précautionneusement, marche après marche, et je découvris enfin le plafond à voûtes de la cave. Sur la voûte centrale était gravée la lettre **L** !

EN PREMIÈRE CLASSE

Ce soir-là, nous nous étions tous donné rendez-vous chez Traquenard. Téa et Benjamin s'y rendirent en auto ; je préférai l'autobus.
Je tiens à mon pelage, moi !
Mon cousin habite une vieille locomotive et un wagon de chemin de fer du siècle dernier, qu'il a aménagés comme une maison. Le wagon, aux parois recouvertes de planches, comprend une vaste cuisine, avec un comptoir tourné vers un compartiment de première classe, que Traquenard a transformé en salle de séjour. Les fauteuils moelleux, tapissés de velours rouge, disposent d'un confortable appui-tête : quand on est assis, on a l'impression que le train va partir d'un moment à l'autre.

Traquenard a installé sa chambre dans la locomotive : il a de drôles de petits lits superposés, qu'il abaisse en faisant jouer un ressort.

– Qui veut du café au lait ? demanda mon cousin, fier de son percolateur en laiton luisant surmonté d'une souris ailée. La machine s'alluma en soupirant, lâcha un nuage de vapeur et cracha un jet de café brûlant dans une petite tasse frappée des initiales SSCF (Société sourisianne des chemins de fer).

Je m'étais rencogné dans un fauteuil de cuir devant le poêle à bois, où le feu crépitait joyeusement. Benjamin s'était endormi dans mes bras... Comme il est bon de rester bien au chaud sous sa couverture, pendant qu'un vent glacial souffle dehors !

Téa frappa avec une petite cuillère sur sa tasse, afin de réclamer notre attention.

Mon cousin habite une vieille locomotive...

– Aujourd'hui, je suis allée à la *Rat Bank,* pour chercher la statue de la princesse Angorette Frisounette VII. Sur le devant de la couronne, de petits diamants forment un **A**. En sortant, je me suis aperçue qu'une souris en imperméable m'épiait en se cachant derrière son journal. On ne peut plus parler de hasard : c'est toute une bande qui, comme nous, essaye de percer à jour le mystère !

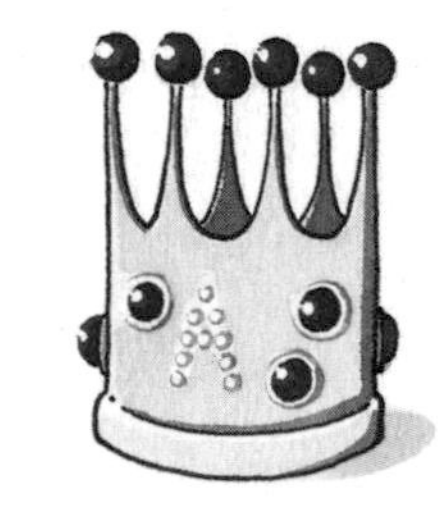

MÉDARD CALIBAN

Le neuvième indice, la statue de Médard Caliban, se dressait dans la cour de l'école primaire.
Traquenard était sûr de lui.
– Demandez mon vieil instituteur, *Abécédaire Cordusier.*
Benjamin et moi allâmes à l'école à sept heures du matin, avant le début de la classe.
Nous trouvâmes *Abécédaire Cordusier,* une vieille souris au poil **gris**, assis derrière son bureau. D'une patte que l'âge rendait tremblante, il griffonnait sur un gros cahier qui sentait l'encre.
– Vous désirez ? demanda-t-il, méfiant.
Puis il remarqua Benjamin :

– Ah, c'est votre fils ?

– En fait… commençai-je…

… mais il me coupa la parole :

– Je suppose que vous venez pour l'inscrire…

– Mais je…

– Il n'en est pas question. C'est trop tard ! Les inscriptions sont terminées.

– Oui, mais…

– Quoi donc ? **Parlez plus fort !** cria-t-il. Je suis un peu dur d'oreille !

– Je viens de la part de Traquenard, un de vos anciens élèves.

– Quoi ? *Un grand chien célèbre ?*

Qu'est-ce que vous me chantez là ?
– Traquenard m'a parlé de la statue de Médard Caliban.
– Quoi ? Un *lit blanc* ? Il dort dans un *lit blanc* ?
– La statue ! CELLE-CI ! criai-je en désignant une **sculpture de marbre** qu'on apercevait par la fenêtre.
– Ah, la statue… oui, quelqu'un est déjà venu la voir hier, un écolier très GRAND pour son âge. Qui vous envoie, dites-vous ?
– TRA-QUE-NAAARD ! criai-je à pleins poumons.
Il comprit enfin.
– Quoi ? *Traquenard ?* Vous ne pouviez pas le dire plus tôt ? Je ne suis pas près de l'oublier. Jamais je n'ai eu un élève plus dissipé. Je me souviens quand il escaladait la statue de Médard Caliban pour lui mettre une peau de banane sur le museau… quand il CLOUAIT LES TIROIRS de mon bureau…

quand il **CHAUFFAIT À BLANC** les poignées de porte… quand il collait les pages de mon cahier avec du **chewing-gum** ! Une vraie peste ! Mais – il essuya une larme – Traquenard est le seul qui, *sniff,* m'envoie encore ses vœux pour Noël ! Regardez plutôt !

Il ouvrit un tiroir du bureau, qui contenait une liasse de cartes de vœux entourées d'un ruban rouge : je reconnus ***l'écriture*** de mon cousin.

Abécédaire descendit de l'estrade et se dirigea vers la porte.

– Suivez-moi !

Il nous conduisit à la statue. Je regardai Médard Caliban : debout sur un pupitre d'écolier, il brandissait un encrier sur lequel était gravée la lettre **S**.

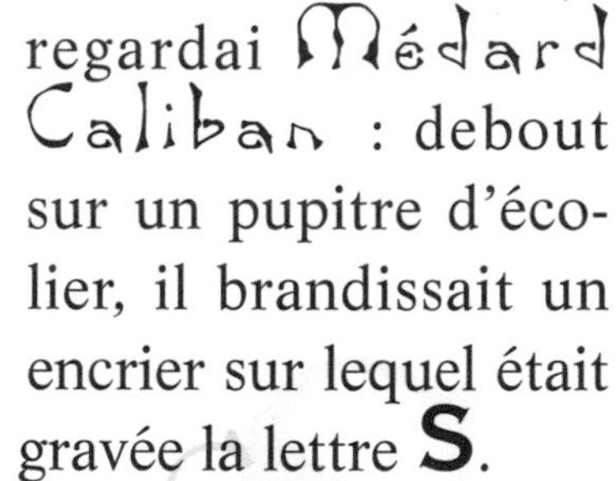

Je me tournai vers *Abécédaire* :

– Merci de nous avoir consacré un peu de votre temps, j'espère ne pas vous avoir dérangé…

– *Changé ?* Oh oui, j'imagine qu'il a dû beaucoup *changer, ce brave Traquenard…* murmura-t-il, ému, en se mouchant *bruyamment* dans un grand mouchoir.

LES BASSINS DES THERMES

Le gymnase *Rat Gym* se trouvait place des Fourrures-Frisées. Traquenard y avait un ami, un certain **TRACASSIN TRICEPS**, masseur de son état. Ce matin-là, je fus accueilli par un rat qui ressemblait à une armoire à glace, avec tout un assortiment de **muscles** qui gonflaient son maillot à le faire éclater.

Tracassin Triceps

– **Monsieur Triceps ?** demandai-je en m'avançant.
J'allais lui demander la permission de faire le tour du gymnase, afin d'examiner le dixième indice, les bassins des **thermes antiques,** quand il me dit :
– Vous voulez faire le tour complet ?
– Oui, merci ! répondis-je, étonné qu'il soit déjà au courant.
Aussitôt, il me poussa vers le vestiaire.
– Mettez un peignoir ! cria-t-il à travers les portes coulissantes.
Puis il me fit entrer dans un cagibi de bois où régnait une chaleur infernale. Un sauna ! Je jetai un coup d'œil au thermomètre : qUOiii ? **CENT DEGRÉS** ? HALETANT, je me jetai sur la porte.
Triceps m'attendait de l'autre côté.
– Déjà fini ? demanda-t-il, surpris. C'est comme vous voulez… La douche est prête !
Et, sans crier gare, il ouvrit le robinet d'eau glacée.

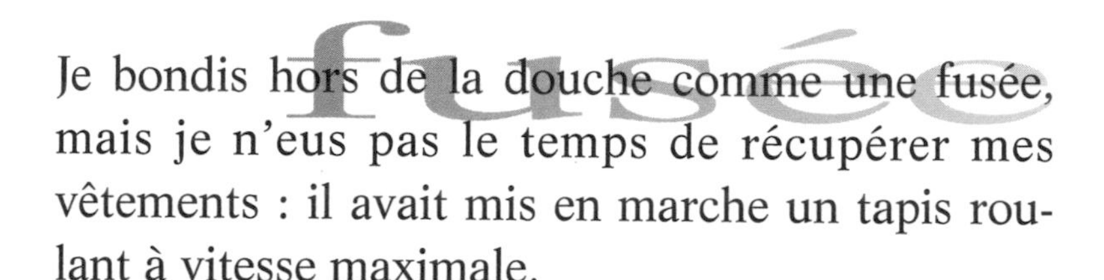

Je bondis hors de la douche comme une fusée, mais je n'eus pas le temps de récupérer mes vêtements : il avait mis en marche un tapis roulant à vitesse maximale.

– SCOUiiit ! hoquetai-je, galopant à perdre haleine.

Alors il m'empoigna.

– Le massage est compris dans le prix ! Tu vas voir comme ça détend !

Et, avant que j'aie pu protester, il se mit à me triturer dans tous les sens.

Je SAUTAI au bas du lit.

– stOOOOp ! criai-je en courant vers la porte, mais il me rattrapa par la queue et, menaçant, hurla :

– Vous alliez PARTIR SANS PAYER !

Et il me fourra dans la patte une note astronomique.

– Sauna et massage ? Tour complet ?? Combien dites-vous que ça coûte ??? Mais *vous êtes fou* ???? Vous n'aurez pas un CENTIME !!!!!

Scouiiit ! hoquetai-je, galopant à perdre haleine…

C'est alors qu'arriva Téa, en survêtement dernier cri.

– *Geronimo, que fais-tu là ?*

Le masseur **BRANDIT** la note, indigné.

– Ah, vous le connaissez, ce joli coco ? Figurez-vous qu'il essayait de se défiler sans payer !

Téa SIFFLA entre ses dents :

– Ne me fais pas honte, c'est le gymnase le plus chic de Sourisia, j'y suis honorablement connue ! Tu vas payer tout de suite ! Et tu laisseras même un pourboire !

Outré, je *signai* un chèque sous le regard méfiant du masseur.

– Alors, **que fais-tu là ?** répéta Téa.

– J'étais venu chercher l'avant-dernière lettre !

– J'aurais pu te la dire. Ça t'aurait évité le dérangement. Il m'a suffi de regarder le dessin des bassins pour voir qu'ils sont en forme de **N**...

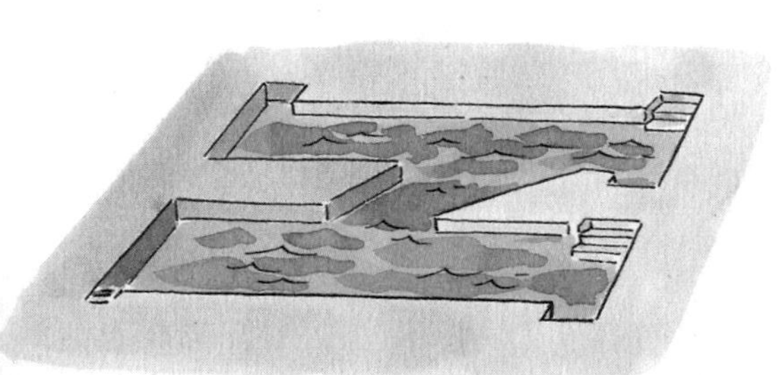

LA DERNIÈRE LETTRE

Il ne manquait plus qu'un indice : le cadran solaire qui se trouvait à la *Taverne de la Croupière*.

– Le temps presse. Déjà, au gymnase, nous avons été devancés par un type habillé en joueur de base-ball. Si ça se *trouve,* ils ont déjà résolu le **mystère** ! Il faut courir à la *Taverne* pour découvrir la dernière lettre. **QUI SE DÉVOUE ?**

Traquenard ricana et déplia une feuille de papier.

– La lettre du cadran solaire est un **U**, les souriceaux ! Hier soir, la *Taverne* organisait des championnats de flipper. J'y ai fait un saut : je voulais demander à mon ami **Graillon**, le cuisinier, la recette de ses tartines à la Mélasse, dit-il en se léchant les moustaches. Pendant que j'y étais, j'ai jeté un coup d'œil au

cadran solaire.
Oh, j'y pense, un motard venait de passer à la *Taverne*, et il cherchait lui aussi le cadran !

Puis il appuya les pattes sur le bureau **(le mien)** et couina, grand seigneur, en indiquant quatre verres :

– Pour fêter cela, je vous offre l'apéritif ! Et j'ai même pensé aux cure-dents ! ajouta-t-il en nous présentant des petits oignons au vinaigre trempés dans la confiture de myrtilles.

Puis il plongea un hareng salé dans un pot de miel.

– Voilà ce que j'appelle du sucré-salé, moi ! Aaaah, c'est si bon !

J'en avais la nausée rien qu'à le regarder !

Je me mis à réfléchir à haute voix :

– Bon, l'inscription disait :

ONZE LIEUX TU DOIS CHERCHER

ONZE LETTRES DOIS TROUVER

UN MOT IL TE FAUT FORMER

SI MYSTÈRE VEUX DÉVOILER

Les lettres tourbillonnaient de plus en plus vite dans mon esprit.

Les lettres tourbillonnaient de plus en plus vite dans mon esprit. **Y, I, H, T, B, R, L, A, S, N, U.** Plongé dans mes réflexions, je pris un verre, machinalement, et l'avalai d'un coup.
J'entendis Traquenard qui bougonnait :
– Geronimo a bu tout mon milk-shake au PIMENT ROUGE ! Toujours aussi distrait, celui-là...
Au début, je ne sentis rien, puis, soudain, mes yeux jaillirent hors de leurs orbites, et j'eus l'impression que mes oreilles crachaient des jets de fumée.
– Aaaaaaaaaagh!
Peut-être était-ce l'effet du piment rouge, mais un mot s'imprima brusquement dans mon cerveau : **LABYRINTHUS !**

Plafond à voûtes L

Couronne de la princesse Angorette Frisounette VII A

Fontaine de fondue B

Chapiteau du Cormoran Y

Rocher du chat R

Queutomètre I

LABYRI

Bassins des thermes antiques N

Sceau de Tessourius T

Coupe du Rat d'Argent H

Cadran solaire U

Statue de Médard Caliban S

NTHUS!

– **Labyrinthus !** bredouillai-je. **Labyrinthus**, la bibliothèque-labyrinthe de la légende ! J'ai lu ce nom dans un **très vieux manuscrit** de Sourisard de Couinci, appartenant à ma collection.

– Que t'arrive-t-il ? C'est le **PIMENT** qui t'échauffe la tête ? demanda Traquenard.

J'allai chercher le manuscrit et le feuilletai fébrilement : Eurêka, j'en étais sûr ! Puis je lus à haute voix :

« Ladite bibliothèque, nommée Labyrinthus, s'élevait au cœur de la ville. Elle avait mille couloirs et plus, si bien qu'on ne pouvait être sûr, en y entrant, d'en retrouver la sortie. Mille étaient les couloirs, mais les livres étaient sept cent fois mille. Étant donné que la Grande Guerre contre les Chats menace notre ville, et en attendant que le peuple des Souris retrouve le sourire, moi, Sourisard de Couinci, j'ai camouflé Labyrinthus : elle était là, elle n'y est plus, elle y sera peut-être de nouveau un jour… »

– Le cœur de la vieille ville ? Ça pourrait se trouver **place de la Pierre-qui-Chante** ! m'exclamai-je.

– Je sais où c'est, allons-y vite ! **Suivez-moi !** cria Téa, attrapant au vol les clefs de sa décapotable et sortant au pas de course. Mes trois compagnons partirent en voiture ; je préférai la bicyclette.

Je tiens à mon pelage, moi !

LA PIERRE-QUI-CHANTE

La place de la Pierre-qui-Chante est l'une des plus anciennes de la ville ; personne n'a jamais compris pourquoi on lui avait donné ce drôle de nom. En son centre se dresse un très grand obélisque qui semble défier le ciel ; la place est ronde et pavée de PIERRES.
À notre arrivée, elle était déserte.
J'étais très ému. J'essuyai les verres de mes lunettes et regardai autour de moi.
– C'est sûrement par ici, je le sens ! On va gagner !
Nous ratissâmes toute la place, à la recherche d'un indice qui nous mette sur la voie de Labyrinthus.
Les heures s'écoulaient, mais nous ne trouvions rien.

M'étais-je trompé ?
Mon cousin hochait la tête et léchait une sucette au reblochon.
– Il n'y a rien de rien de rien à voir, ici, marmonnait-il, grincheux, en désignant la place déserte. Je te l'ai dit, c'est le piment qui t'a échauffé la tête !
– Pourtant, c'est sûrement par ici. **LABYRINTHUS**... **LABYRINTHUS**... **LABYRINTHUS**... répétais-je, comme une formule magique. Que cachait ce mot ?
Traquenard lécha ses doigts poisseux et grogna :
– Il faut te faire une raison, Geronimo. Il n'y a aucun Labyrinthus. Aucun, tu comprends ?
Je refusais d'abandonner la partie.
– Je suis sûr que la solution est à portée de patte ! murmurai-je, les moustaches vibrant d'émotion.
Téa s'assit à côté de Traquenard.
– Gerry, si on laissait tomber et qu'on aille se coucher ?

Au bout de minutes qui parurent une éternité,
il arriva au sommet de l'obélisque

Pendant un instant, je doutai moi aussi. Je poussai un soupir et m'assis à côté de ma sœur, DÉCOURAGÉ. Seul Benjamin refusait de baisser les pattes.

– Si oncle Geronimo dit que Labyrinthus est ici, il est ici ! répétait-il, têtu.

Traquenard pouffa.

– Regarde autour de toi, mon neveu. Où sont les labyrinthes ? Moi, je n'en vois aucun ! Tiens, pour qu'on en soit sûr, dit-il en se levant, je vais aller jeter un coup d'œil d'en haut !

Il commença à escalader l'obélisque, aussi agile qu'un félin.

– Hop, hop, hop... chicotait-il, tout joyeux. Vous ne pouvez pas imaginer la vue qu'on a d'ici !

– Traquenard, descends ! C'est dangereux ! criions-nous. Descends tout de suite !

Mais il n'écoutait pas et continuait son ascension, toujours plus **HAUT**. Au bout de minutes qui parurent une éternité, il arriva au sommet de l'obélisque...

Il n'y a pas de Labyrinthus !

Du haut de l'obélisque, Traquenard se mit à crier à tue-tête :

– **Il n'y a pas de Labyrinthus ! Pas de Labyrinthus !**

– *... inthus... inthus...*

Nous nous regardâmes, stupéfaits.

– Mais que se passe-t-il ?

– C'est l'écho... Je comprends pourquoi la place s'appelle la Pierre-qui-Chante !

– *inthus... inthus... inthus...* répétait l'écho, rebondissant sur les murs de la place. *inthus... inthus... inthus... inthus...*

L'écho continuait, de plus en plus fort. On avait vraiment l'impression que la place chantait !

– *inthus... inthus... inthus... inthus... inthus...*
L'écho du mot Labyrinthus résonnait sur la place, si fort que le sol en vibrait sous nos pattes.
– UN TREMBLEMENT de terre ! cria Téa, tandis que Traquenard descendait de l'obélisque.
– Ce n'est pas un tremblement de terre : la place est en train de basculer sur elle-même. Vite, éloignons-nous ! criai-je en attrapant Benjamin par la patte.

la place est en train de basculer sur elle-même

Nous courûmes à perdre haleine, pendant que le sol s'inclinait. Téa et Traquenard nous rejoignirent : ils étaient à bout de souffle eux aussi.
– Quel spectacle ! criait ma sœur en prenant des photos en rafale.
– La place a presque totalement basculé !

basculé

Malgré **l'obscurité,** je pus distinguer ce que la place avait caché pendant des siècles :

inthus... inthus... inthus... inthus... inthus... inthus... inthus...

un bâtiment long et bas, en pierre grise. LABYRINTHUS ! Nous attendîmes que la place s'immobilise et nous nous approchâmes de Labyrinthus. Nous **poussâmes** une porte de pierre, qui s'ouvrit sans un bruit. Devant nous s'étendait un réseau de couloirs qui paraissaient sans fin ; les murs étaient recouverts de bibliothèques bourrées de livres. En pénétrant dans ces salles obscures, où aucun rongeur n'avait mis le museau depuis des siècles, j'en **FRISSONNAIS**. Benjamin se serrait contre moi.

– Ne me lâche pas la patte, tonton ! J'ai trop peur de me perdre !

Téa avait hâte d'explorer le labyrinthe.

– Attachons un fil à la porte. Il suffira de le suivre pour retrouver la sortie !

– Excellente idée ! dit Traquenard, en tirant un fil qui pendait de ma précieuse écharpe en cachemire verte. **Et hop !** cria-t-il avant de s'élancer dans le labyrinthe sans lâcher le fil.

La place a presque totalement basculé !

– Arrête ! Arrêêête ! hurlai-je. Trop tard : mon écharpe avait déjà été réduite à un long, à un **très long** fil qui se dévidait dans les couloirs du labyrinthe.
Je m'assis par terre, désespéré.
– Je l'aimais bien, moi, cette écharpe !
Benjamin me fit un bisou.
– Ne te fâche pas, tonton. Je te donnerai la mienne. Elle n'est pas en cachemire, mais elle est **verte**, comme la tienne !
Je le serrai fort contre moi. Benjamin est vraiment mon neveu préféré...
Nous entrâmes dans le labyrinthe, en suivant le fil. Au passage, j'examinais les volumes sur les rayonnages : il n'y avait que des exemplaires très rares, uniques !
Je pris un livre, un autre, un autre encore. Je les époussetai en soufflant dessus. Je dépliai délicatement un

parchemin couvert d'une écriture pleine de *fioritures* : un cachet de cire avait été apposé près de la signature. Je feuilletai avec soin les pages, jaunies par le temps, d'un gros volume dont le titre était écrit à l'encre dorée et qui racontait l'histoire de Sourisia. Puis j'admirai les délicates miniatures d'un petit livre relié de soie rouge : MÉMOIRES DE TARTARIN TARABISCOTTE, FONDATEUR DE SOURISIA.

Benjamin lisait en même temps que moi, émerveillé. Nous nous enfoncions dans le labyrinthe. Les couloirs étaient de plus en plus sombres. Il était désormais impossible de savoir par où nous étions entrés.

– Maintenant, je dirais qu'il faut tourner à droite, marmonnait Téa en regardant autour d'elle.

Moi, j'aurais juré, au contraire, qu'il valait mieux tourner à gauche,

éduite à un long, à un très long fil qui se dévidait dans les couloirs du labyrinthe.

Les couloirs se ressemblaient tous !

mais quand je voulus retourner sur mes pas, je ne réussis pas à m'orienter.
Les couloirs se ressemblaient tous !
– Heureusement qu'il y a le fil !
Nous l'enroulâmes en une grosse pelote et retournâmes sur nos pas. En retrouvant la sortie, nous poussâmes un soupir de soulagement. Mais **SOUDAIN...**
– **Cric! Croc!**
Je sursautai. Un intrus ? Je poussai bientôt un nouveau soupir de soulagement : c'était Traquenard qui grignotait une chips. Mais, quelques minutes plus tard, j'entendis un grincement.
– **CRIIIC ! CRIC... CRIIIC !**
Mon cousin agita le sachet vide sous mon museau.
– J'ai fini les chips, chuchota-t-il.
La porte venait vraiment de s'ouvrir.
Quelqu'un entrait !

CRACHE LE MORCEAU, VIEUX CRAPAUD !

Nous nous cachâmes derrière une bibliothèque.
Téa éteignit sa lampe de poche.

– CHUT ! NE FAITES PAS DE BRUIT !
Une nouvelle fois, la porte grinça.
Dans le noir le plus complet, quelqu'un entra, sur la pointe des pattes.
L'inconnu s'avança à tâtons, puis alluma une torche.
Une ombre se projeta sur le mur.
Traquenard murmura :
– JE VAIS LUI FAIRE SA FÊTE, À CELUI-LÀ ! TU VAS VOIR CE QUE TU VAS VOIR !
Mon cousin bondit et saisit l'inconnu par la queue.

– Je te tiens, tête de CANCOILLOTTE ! Je vais enfin savoir qui tu es !
Téa ralluma sa lampe de poche et, comme une seule souris, nous jaillîmes à notre tour de derrière les rayonnages.
– Oui, moi aussi, je veux savoir qui tu es, demi-portion de souris, rat raté, rat d'égout à la gomme ! cria ma sœur.
Elle dirigea le faisceau de sa lampe sur l'intrus.
La lumière éclaira un long museau pointu, des moustaches blanches et des lunettes à monture d'or.
Je restai abasourdi.
– Le directeur ? Le directeur du musée ?
Je n'en revenais pas…
Grunzy de Pintor, que Traquenard tenait encore fermement par le cou, essayait de dire quelque chose, en gesticulant désespérément.

– Gggh... ggh... ghgghgg-ghhh !

– Tu vas parler, vieux crapaud ? *Crache le morceau !* Où sont tes complices ? Ne fais pas semblant d'avoir la *tête dans les nuages...* criait Traquenard en lui tirant sur les moustaches pour le faire avouer.

– Laisse-le, Traquenard, j'ai l'impression qu'il a quelque chose à dire.

Grunzy avala sa salive avec difficulté et bredouilla :

– ... tableau... charge... autorisation...

– **Quoi, quoi, quoi ?** chicota Téa.
D'une poche de son gilet, Grunzy sortit un papier couvert de tampons et le tendit à ma sœur.
« Par la présente, le Grand Conseil de la ville de Sourisia charge **Grunzy de Pintor**, directeur du musée, d'enquêter secrètement sur la peinture cachée sous Mona Sourisa, afin d'en percer le MYSTÈRE. »
Je pris le papier, **incrédule.**
– Quoi ? LE GRAND CONSEIL ?
Grunzy s'éclaircit la voix et nous expliqua tout :
– Quand Frick Tapioca a découvert qu'un autre tableau était caché sous Mona Sourisa, j'ai tout de suite compris l'importance de la trouvaille. Surtout, il ne fallait pas l'ébruiter. J'ai parcouru Sourisia de long en large à la recherche des onze lettres : ça n'a pas été une mince affaire ! C'est ce soir, seulement, que j'ai compris que le mot-clef était Labyrinthus…

Traquenard grommela :
– Euh, bon, il faut que je le relâche, non ?
Grunzy épousseta son gilet et ajusta ses lunettes sur son museau.
– Savez-vous que vous avez de la poigne, souriceau ? murmura-t-il en se massant le cou.

… une petite vieille avec un panier de pommes… *… une veuve portant une voilette…* *… un gladiateur romain…*

Traquenard n'était pas convaincu.
– Et *les autres,* qui sont-ils ? demanda-t-il, en agitant un papier avec le portrait-robot des onze souris suspectes. La veuve, le clown, le joueur de base-ball, le motard : qui sont *les autres,* où sont *les autres* ?
Grunzy sourit.

… une souris avec un drôle de pantalon à fleurs, une autre avec un maillot rayé…

– Il n'y a personne d'autre. C'était moi, toujours moi, rien que moi !

Puis il ouvrit une mallette.

– Voici les fausses moustaches du motard, la perruque du clown et les lunettes noires du détective : j'ai acheté tout ça dans un magasin de **farces et attrapes** !

Traquenard examina en connaisseur le contenu de la mallette.

… un clown avec une perruque…

… une souris déguisée en Petit Chaperon rouge…

… un type en imperméable…

– **Hummm...**

Puis il donna une grande claque sur l'épaule de Grunzy et éclata de rire :

– Ah, gros malin, je sais où tu te fournis : au *Rat farceur,* mon magasin préféré ! On se tutoie, hein ? Allez, serrons-nous la patte ! La prochaine fois, j'irai avec toi et je suis sûr que Batifol te fera un prix !

... un écolier très grand pour son âge...

... un joueur de base-ball...

... un motard avec son casque...

UNE HISTOIRE AU POIL

Il s'est passé un mois seulement depuis que nous avons retrouvé Labyrinthus, mais j'ai eu l'impression que c'était un *siècle* : tant d'événements se sont succédé depuis !

L'immense bibliothèque-labyrinthe, qui a enfin retrouvé sa place, est devenue un musée, que des milliers de rongeurs visitent chaque jour.

Mais il y a une autre nouveauté, une grande nouveauté !

Savez-vous où je me trouve, en ce moment ?

Sur le plateau du film LE SOURIRE DE MONA SOURISA, réalisé par Von Rattoffen.

Le film est tiré d'un livre.

Un livre que j'ai écrit et qui est devenu un

Le film est tiré d'un livre que j'ai écrit…

JE TIENS À MON PELAGE, MOI...

Ce soir est un soir très spécial : le musée va nous remettre, à Benjamin, Téa, Traquenard et moi, le plus prestigieux des trophées, le rêve de toutes les souris :

LA CROÛTE D'OR.

Que pourrais-je désirer de plus ?

Scouiiit, je suis heureux, super heureux.

Je suis même si ému que je n'ai pas fermé l'œil de la nuit.

Je suis prêt : voilà deux heures que je fais ***les cent pas*** dans mon salon. J'ai mis un smoking, pour la cérémonie OFFICIELLE.

J'entends Téa qui m'appelle de l'autre pièce :
– **Geronimo, Geronimo ! Tu es prêt ?**
Je soupire. **Bien sûr que je suis prêt, ça fait des heures que je suis prêt !**

vroom vroom

Ma sœur prend ses clefs, ouvre la porte, démarre la décapotable… **et s'en va.** Toute seule !
Quant à moi, je sors de chez moi et me dirige tranquillement vers le métro.
À cette heure, les rames seront bondées, mais ce n'est pas grave.

Table des matières

DANS LA MÊME COLLECTION

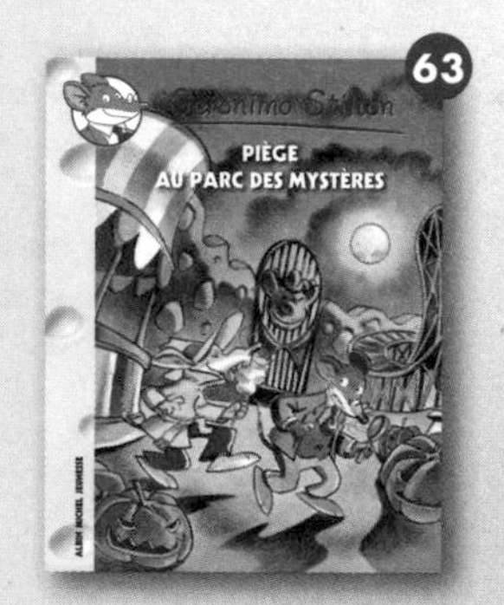

1. Le Sourire de Mona Sourisa
2. Le Galion des chats pirates
3. Un sorbet aux mouches pour monsieur le Comte
4. Le Mystérieux Manuscrit de Nostraratus
5. Un grand cappuccino pour Geronimo
6. Le Fantôme du métro
7. Mon nom est Stilton, Geronimo Stilton
8. Le Mystère de l'œil d'émeraude
9. Quatre Souris dans la Jungle-Noire
10. Bienvenue à Castel Radin
11. Bas les pattes, tête de reblochon !
12. L'amour, c'est comme le fromage...
13. Gare au yeti !
14. Le Mystère de la pyramide de fromage
15. Par mille mimolettes, j'ai gagné au Ratoloto !
16. Joyeux Noël, Stilton !
17. Le Secret de la famille Ténébrax
18. Un week-end d'enfer pour Geronimo
19. Le Mystère du trésor disparu
20. Drôles de vacances pour Geronimo !
21. Un camping-car jaune fromage
22. Le Château de Moustimiaou
23. Le Bal des Ténébrax
24. Le Marathon du siècle
25. Le Temple du Rubis de feu
26. Le Championnat du monde de blagues

27. Des vacances de rêve à la pension Bellerate
28. Champion de foot !
29. Le Mystérieux Voleur de fromage
30. Comment devenir une super souris en quatre jours et demi
31. Un vrai gentilrat ne pue pas !
32. Quatre Souris au Far West
33. Ouille, ouille, ouille... quelle trouille !
34. Le karaté, c'est pas pour les ratés !
35. L'Île au trésor fantôme
36. Attention les moustaches... Sourigon arrive !
37. Au secours, Patty Spring débarque !
38. La Vallée des squelettes géants
39. Opération sauvetage
40. Retour à Castel Radin
41. Enquête dans les égouts puants
42. Mot de passe : Tiramisu
43. Dur dur d'être une super souris !
44. Le Secret de la momie
45. Qui a volé le diamant géant ?
46. À l'école du fromage
47. Un Noël assourissant !
48. Le Kilimandjaro, c'est pas pour les zéros !
49. Panique au Grand Hôtel
50. Bizarres, bizarres, ces fromages !
51. Neige en juillet, moustaches gelées !
52. Camping aux chutes du Niagara
53. Agent secret Zéro Zéro K
54. Le Secret du lac disparu
55. Kidnapping chez les Ténébrax !
56. Gare au calamar !
57. Le vélo, c'est pas pour les ramollos !
58. Expédition dans les collines Noires
59. Bienvenue chez les Ténébrax !
60. La Nouvelle Star de Sourisia
61. Une pêche extraordinaire !
62. Jeu de piste à Venise
63. Piège au parc des mystères
64. Scoops en série à Sourisia

Et aussi...

Le Voyage dans le temps tome I
Le Voyage dans le temps tome II
Le Voyage dans le temps tome III
Le Royaume de la Fantaisie
Le Royaume du Bonheur
Le Royaume de la Magie
Le Royaume des Dragons
Le Royaume des Elfes
Le Secret du courage
Énigme aux jeux Olympiques

Les Préhistos

1. Pas touche à la pierre à feu !
2. Alerte aux météorites sur Silexcity !

1
9
4
8
2
18
3
32
13
11
12
10
19
46
45
Fleuve Souris
17
22
5
15
7
20
26
28
40
14
16
23
36
27
21
24
25
33
38
37
29
31
44
Plage
30
41
6
34
39
42
35
43

Sourisia, la ville des Souris

1. Zone industrielle de Sourisia
2. Usine de fromages
3. Aéroport
4. Télévision et radio
5. Marché aux fromages
6. Marché aux poissons
7. Hôtel de ville
8. Château de Snobinailles
9. Sept collines de Sourisia
10. Gare
11. Centre commercial
12. Cinéma
13. Gymnase
14. Salle de concerts
15. Place de la Pierre-qui-Chante
16. Théâtre Tortillon
17. Grand Hôtel
18. Hôpital
19. Jardin botanique
20. Bazar des Puces-qui-boitent
21. Maison de tante Toupie et de Benjamin
22. Musée d'Art moderne
23. Université et bibliothèque
24. La Gazette du rat
25. L'Écho du rongeur
26. Maison de Traquenard
27. Quartier de la mode
28. Restaurant du Fromage d'or
29. Centre pour la Protection de la mer et de l'environnement
30. Capitainerie du port
31. Stade
32. Terrain de golf
33. Piscine
34. Tennis
35. Parc d'attractions
36. Maison de Geronimo Stilton
37. Quartier des antiquaires
38. Librairie
39. Chantiers navals
40. Maison de Téa
41. Port
42. Phare
43. Statue de la Liberté
44. Bureau de Farfouin Scouit
45. Maison de Patty Spring
46. Maison de grand-père Honoré

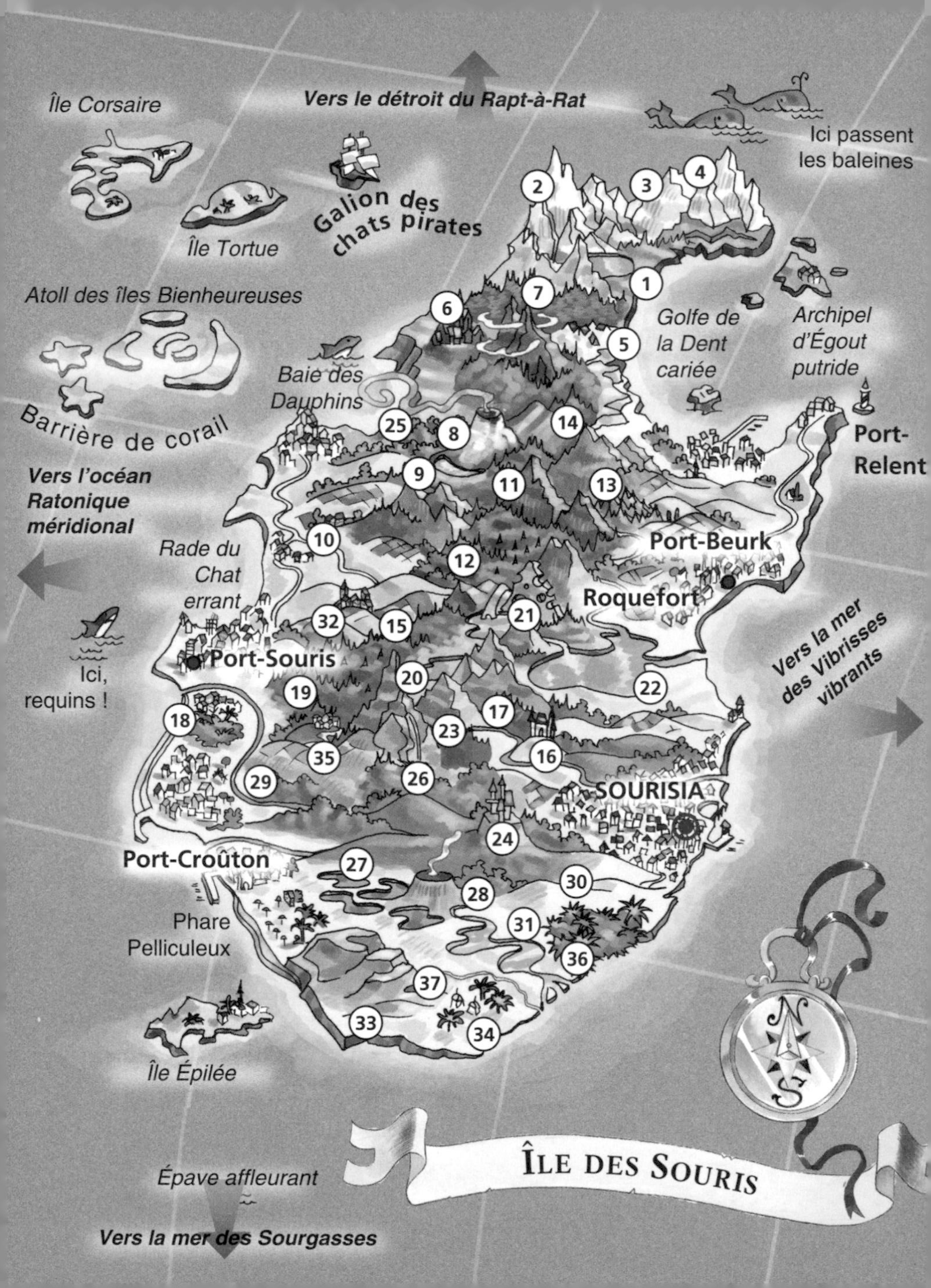
Île Corsaire
Vers le détroit du Rapt-à-Rat
Ici passent les baleines
Galion des chats pirates
Île Tortue
Atoll des îles Bienheureuses
Golfe de la Dent cariée
Archipel d'Égout putride
Baie des Dauphins
Barrière de corail
Port-Relent
Vers l'océan Ratonique méridional
Port-Beurk
Rade du Chat errant
Roquefort
Port-Souris
Vers la mer des Vibrisses vibrants
Ici, requins !
SOURISIA
Port-Croûton
Phare Pelliculeux
Île Épilée
ÎLE DES SOURIS
Épave affleurant
Vers la mer des Sourgasses
1
2
3
4
5
6
7
8
9
10
11
12
13
14
15
16
17
18
19
20
21
22
23
24
25
26
27
28
29
30
31
32
33
34
35
36
37

Île des Souris

1. Grand Lac de glace
2. Pic de la Fourrure gelée
3. Pic du Tienvoiladéglaçons
4. Pic du Chteracontpacequilfaifroid
5. Sourikistan
6. Transourisie
7. Pic du Vampire
8. Volcan Souricifer
9. Lac de Soufre
10. Col du Chat Las
11. Pic du Putois
12. Forêt-Obscure
13. Vallée des Vampires vaniteux
14. Pic du Frisson
15. Col de la Ligne d'Ombre
16. Castel Radin
17. Parc national pour la défense de la nature
18. Las Ratayas Marinas
19. Forêt des Fossiles
20. Lac Lac
21. Lac Lac Lac
22. Lac Laclaclac
23. Roc Beaufort
24. Château de Moustimiaou
25. Vallée des Séquoias géants
26. Fontaine de Fondue
27. Marais sulfureux
28. Geyser
29. Vallée des Rats
30. Vallée Radégoûtante
31. Marais des Moustiques
32. Castel Comté
33. Désert du Souhara
34. Oasis du Chameau crachoteur
35. Pointe Cabochon
36. Jungle-Noire
37. Rio Mosquito

L'ÉCHO DU RONGEUR
L'ÉCHO DU RONGEUR
6
5
4
3
2
1
A
1. Entrée
2. Imprimerie
(où l'on imprime les livres et le journal)
3. Administration
4. Rédaction (où travaillent les rédacteurs,
les maquettistes et les illustrateurs)
5. Bureau de Geronimo Stilton
6. Piste d'atterrissage pour hélicoptère